유아 연산의 기준

칸토의 연산

덧셈과 뺄셈의 기초

"취학 전 우리 아이가 해야 할 수학은?"

아이를 키우는 부모님이라면 하나같이 우리 아이가 수학을 좋아하고 잘했으면 하는 바람일 것입니다. 수학에 대한 안 좋은 기억이 있으신 부모님들이라면 더더욱 걱정과 조바심 속에 초등학교 가기 훨씬 전부터 아이에게 여러 문제집을 풀게 하며 수학에 많은 시간을 사용합니다. 지금까지 아이가 푼 문제집을 쌓아 올리며 부모님 스스로가 뿌듯해 하기도 합니다.

그런데 아이가 수학을 잘하기 위해 초등학교 입학 전에 해야 할 가장 중요한 것은 무엇일까요?

수학에 관심을 갖고 수학에 재미를 느끼는 것입니다.

그러나 현실은 그렇지 않습니다. 아이들은 방대한 양의 반복된 문제를 풀며 가장 중요한 목표인 재미로부터 멀찌감치 떨어져 출발하게 됩니다. 첫 단추가 잘못 끼워지니 그 이후의 단추들도 제대로 끼워지기 어렵습니다. 아이가 처음 숫자를 보고 읽고 수를 셀 때의 희망찬 모습에서 어느덧 수 앞에만 서면 작아지는 아이의 모습으로 부모님의 새로운 걱정은 시작됩니다. 이를 바로잡으려 부모님께서 다시 힘을 내보려 하지만 너무 오래된 수학이 낯설고 멀게만 느껴집니다.

「칸토의 연산」은 아이에게는 아이의 시선에 맞게 문제의 형태와 양을 재미있게 구성하여 즐거운 시간이 될 수 있게 하였고, 부모님께는 아이를 가까이서 직접 지도할 수 있는 학습 가이드(칸토 쌤)를 제공하여 최고의 선생님이 될 수 있게 하였습니다.

수학을 잘하기 위해서는 한 문제를 끝까지 풀기 위한 노력과 끈기도 필요합니다. 하지만 수학을 잘하기 위해 지금 부모님께서 해야 할 일은 아이에게 수학에 대한 좋은 첫인상을 심어주는 것입니다. 문제 푸는 것을 어려워한다면 과감히 다음 기회로 넘기고 기다려주세요. 첫 만남이 나쁘지 않았던 우리 아이는 다시금 수학을 찾고 수학과 더 깊은 관계로 발전해 나갈 수 있을 거예요.

"초등 입학 전 연산 딱 4가지만 알고 가요."

취학 전 우리 아이가 반드시 학습해야 할 연산 주제 4가지를 제시합니다.

수 세기(1~50)

[수 세기 방법 4가지]

① 앞으로 세기 1, 2, 3, 4, 5, ……

② 거꾸로 세기 10, 9, 8, 7, ……

③ 이어 세기 5, 6, 7, 8, 9, ……

④ 묶어 세기 2, 4, 6, 8, 10, ……
(뛰어 세기)

수를 세는 과정에는 덧셈과 뺄셈의 원리가 숨어 있어요.
실생활 소재(음식, 물건, 계단)와 수 세기 모형(주사위,
수직선, 계란판)을 이용하여 반복하여 연습해 주세요.
아이의 수·연산 감각을 발달시킬 수 있는 출발점입니다.

수 계열(1~50)

[50까지의 수 배열표]

1 큰 수 →

1	2	3	4	5	6	7	8	9	10
11	12	13	14	15	16	17	18	19	20
21	22	23	24	25	26	27	28	29	30
31	32	33	34	35	36	37	38	39	40
41	42	43	44	45	46	47	48	49	50

10 큰 수 (왼쪽) / 10 작은 수 (오른쪽) / 1 작은 수 (아래)

50까지의 수 배열표를 관찰하며 수의 구성과 각 수들 간의
관계를 파악하고 50까지의 수를 익혀요. 수 배열표를 머릿속
으로 그릴 수 있어야 해요.

모으기·가르기(1~9)

[모으기]

2   3

[가르기]

7

2

9까지의 수를 모으고 가르는 활동은 덧셈, 뺄셈
의 기초이며 핵심 원리예요.
손가락뿐만 아니라 생활 속 다양한 구체물을
활용하여 반복적으로 연습해 보세요.

덧셈·뺄셈(0~9)

[동적 상황의 덧셈·뺄셈]

2 + 3 = ☐   7 - 2 = ☐

덧셈, 뺄셈은 동적인 상황(첨가, 제거)과 정적인
상황(합병, 비교) 2가지가 있어요. 이것을
잘 이해하면 덧셈·뺄셈 문장제 문제를
해결하는 데 큰 도움이 돼요.

단계별 구성

칸토의 연산 시리즈

(9단계, 총 36권)

- 연산의 원리부터 재미있는 퍼즐형 문제까지 다루는 기본 난이도의 연산 교재
- 나선형 반복 학습과 확장 커리큘럼
- [칸토의 연산] ➡ [응용 연산]으로 이어지는 기본·심화 연산 학습 설계
- 단계별 4권, 9단계 총 36권 구성
- 한 단계 4개월 완성
- 학년별 교과서 진도와 맞춤 병행

이 책의 칸토 구성과 특징:

- 하루 2쪽, 매주 5일씩 4주 동안 완성하는 연산 프로그램이에요.
- 연령별 아이의 학습 눈높이와 학습 체력에 맞게 쉬운 난이도와 하루 10분 정도의 학습 분량으로 구성하였어요.
- 선생님과 같은 실력으로 아이를 지도할 수 있게 「칸토 쌤」 코너에 알찬 학습 가이드를 수록하였어요.

1 학습 안내 · 무엇을 공부할까요?

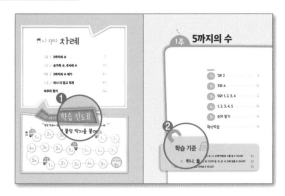

❶ 붙임 딱지를 붙여 학습 진도를 체크해요.

❷ 이번 주에 꼭 알아야 할 학습 기준을 체크해요.
공부 전에 간단히 살펴보고, 한 주 공부가 끝나면 반드시 확인해 보세요.

2 일일 학습 · 매주 5일씩 4주 동안 공부해요.

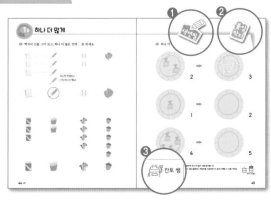

❶ 색연필을 사용하는 활동이에요.

❷ 붙임 딱지를 붙이는 활동이에요.

❸ 연산의 개념, 원리, 활용뿐만 아니라 아이의 학습 심리 상태를 파악할 수 있는 학습 가이드를 꼭 참고하세요.

3 확인 학습 · 이번주 배운 내용을 잘 알고 있나요?

4 마무리 평가 · 4주 동안 배운 내용을 잘 알고 있나요?

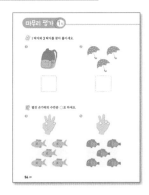

이 책의 차례

스스로 체크하는 학습 진도표

"일일 학습이 끝나면 붙임 딱지를 붙여 학습 진도를 표시해 보세요."

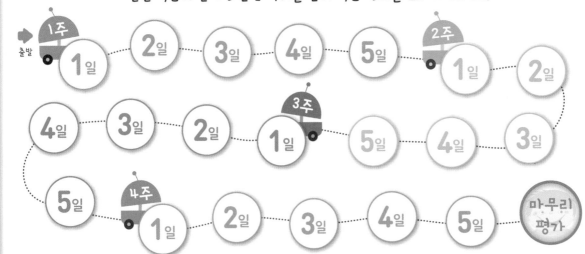

1주 모아 세기

학습 기준

- 여러 가지 단위(개, 마리, 칸)를 사용하여 수를 셀 수 있나요? ☐
- 두 곳에 있는 구슬을 한 곳으로 모아 수를 셀 수 있나요? ☐

 **1일** # 몇 마리, 몇 개

 몇 마리인지 세어 보세요.

$\boxed{2}$ 마리

$\boxed{}$ 마리

$\boxed{}$ 마리

$\boxed{}$ 마리

몇 개인지 세어 보세요.

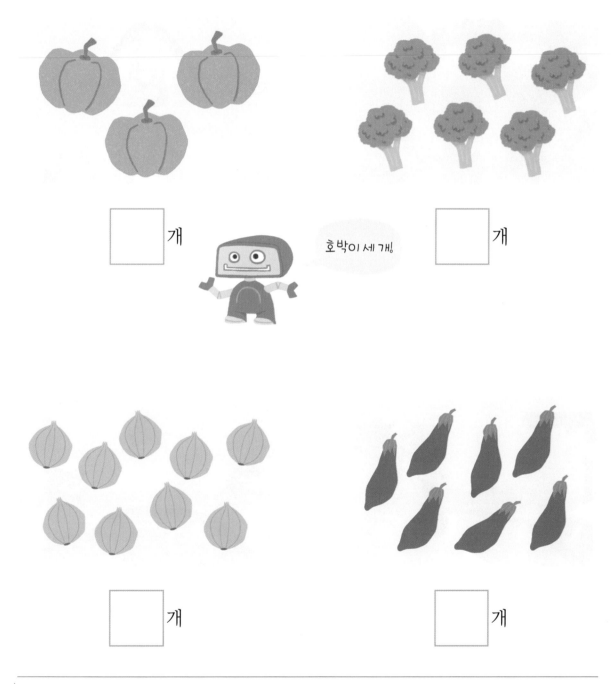

□ 개

호박이 세 개!

□ 개

□ 개

□ 개

모두 몇 마리일까요?

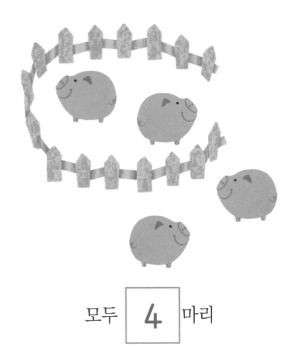

모두 | 4 | 마리

모두 | | 마리

모두 | | 마리

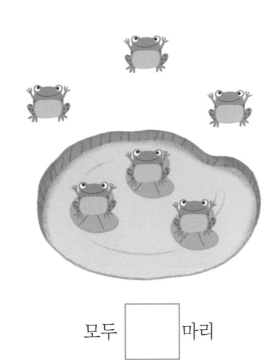

모두 | | 마리

물고기 3마리를 더 붙이세요. 물고기는 모두 몇 마리일까요?

모두   마리

칸토 쌤   덧셈 상황에서는 '모두, 전체, 더하면, 합하면, 늘어나면'과 같은 용어가 사용돼요. 아이와 그림의 상황을 이야기해 보며 동물이 모두 몇 마리인지 알고 덧셈의 의미를 느껴봅니다.

울타리 안과 밖의 소는 모두 몇 마리야?

새 2마리가 늘어나면 모두 몇 마리야?

3일 모두 몇 개

개수를 쓰세요. 모두 몇 개일까요?

| 2 | 개 |

| 1 | 개 |

풀이 모두
세 개 있어.

➡ 모두 | 3 | 개

| | 개 |

| | 개 |

➡ 모두 | | 개

| | 개 |

| | 개 |

➡ 모두 | | 개

| | 개 |

| | 개 |

➡ 모두 | | 개

개수를 쓰세요. 모두 몇 개일까요?

나는 가지도 잘 먹어.

🥒 : ☐ 개

🍆 : ☐ 개

➡ 모두 ☐ 개

🍅 : ☐ 개

🍎 : ☐ 개

➡ 모두 ☐ 개

🤖 칸토 쌤 2종류가 섞인 사물의 전체 개수를 구할 때 각각 따로 세어 본 후, 처음부터 "하나둘 셋……"하며 수를 다시 세는 아이들이 많아요. 이어 세기와 덧셈이 아직 익숙하지 않기 때문이에요. 먼저 작은 수로 반복하여 연습해 주세요.

● ●   ▲ ▲ ▲
둘   셋
● ●   ▲ ▲ ▲
하나 둘   셋 넷 다섯!

모두 몇 칸

모두 몇 칸일까요?

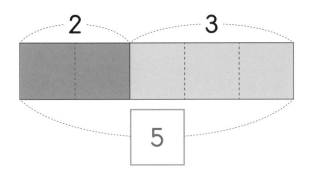

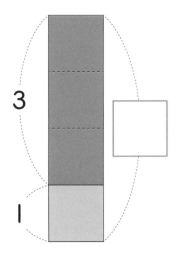

자로 길이를
잴 수 있어.

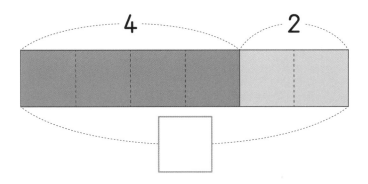

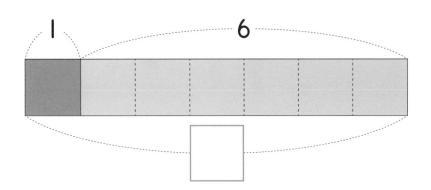

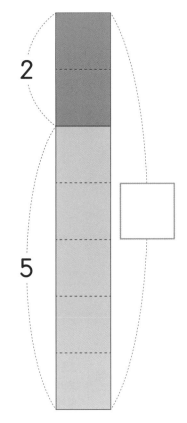

동물들이 두 번씩 뛰었어요. 모두 몇 칸 뛰었을까요?

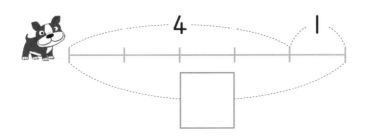

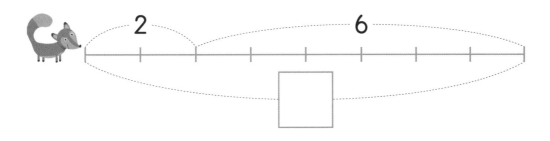

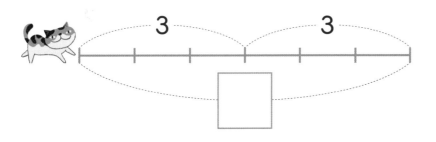

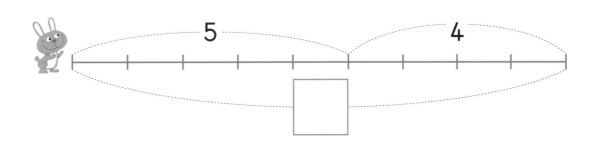

 수 막대와 수직선에서 길이를 재는 상황으로 덧셈을 이해합니다.
길이 모형은 덧셈을 쉽게 이해시켜 줄 뿐만 아니라 수의 크기 비교도 직관적으로 알게
해 주어 연산 학습에 유용하게 사용돼요.

5 > 4
(3+2) (2+2)

모아 담기

 과일 모으기를 하세요.

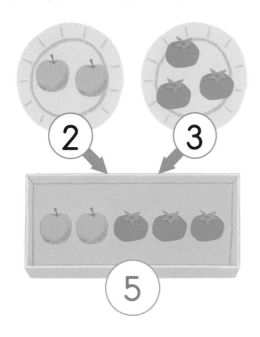

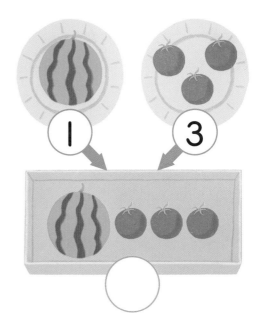

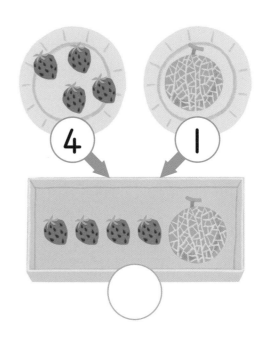

구슬 딱지를 붙여 모으기 하세요.

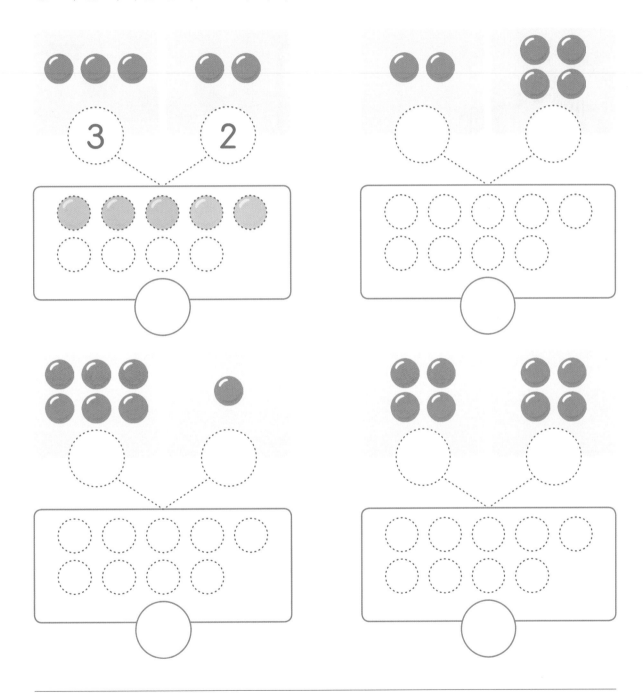

확인학습

 모두 몇 마리일까요?

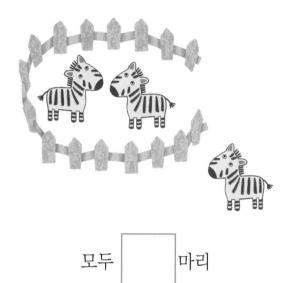

모두 ☐ 마리

모두 ☐ 마리

구슬 딱지를 붙여 모으기를 하세요.

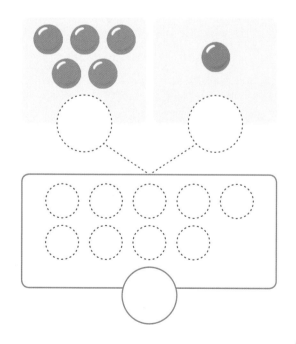

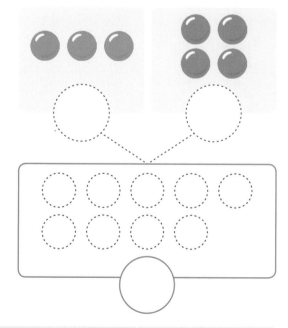

2주 덧셈

학습 기준

- 두 수를 모으기 할 수 있나요? ☐

- '+' 기호의 의미를 알고 +의 양쪽 그림의 수를 더할 수 있나요? ☐

- 그림이 나타내는 덧셈식을 찾을 수 있나요? ☐

- 그림의 상황(첨가, 합병)을 이해하여 덧셈을 할 수 있나요? ☐

모으기

🐛 구슬 딱지를 붙여 모으기 하세요.

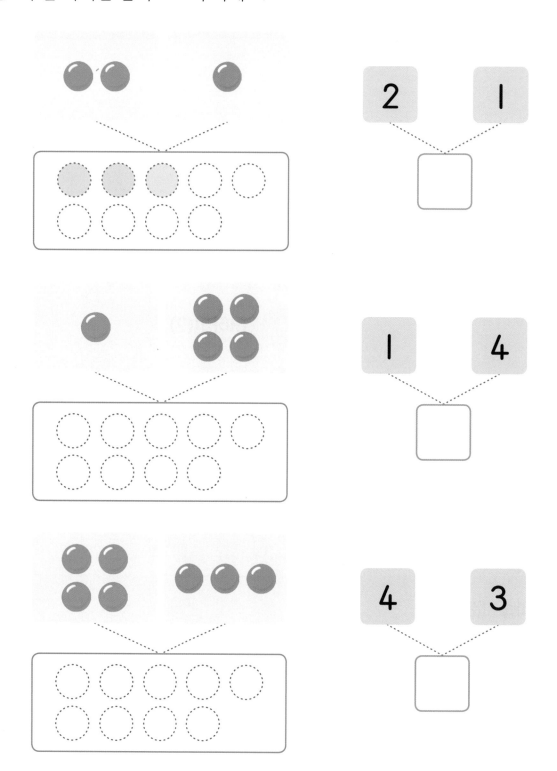

두 수를 모으기 하세요.

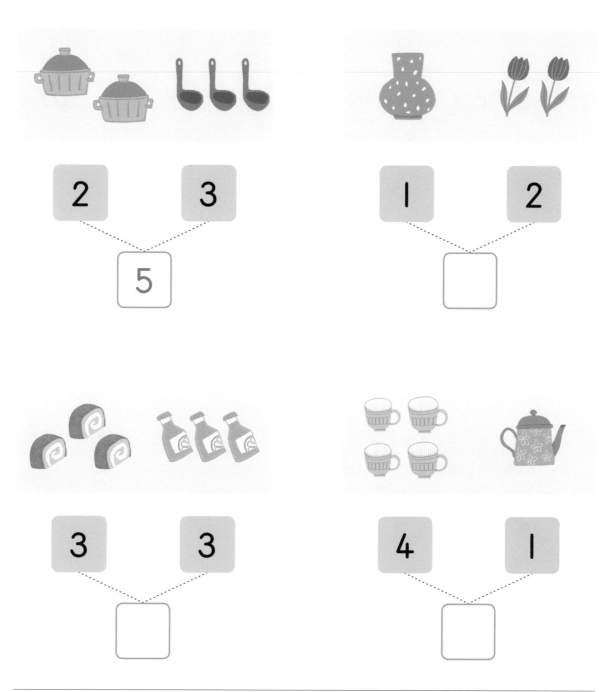

2	3

5

1	2

3	3

4	1

칸토 쌤 구체물 모으기가 익숙해지면 숫자를 보고 모으기 해 보세요.
어려워할 경우 점 수판 이미지를 이용합니다.

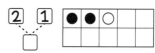

2일 더하기(1)

관계있는 수를 찾아 선으로 이으세요.

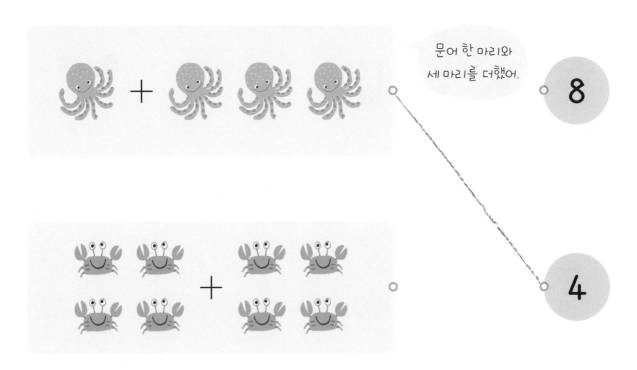

문어 한 마리와
세 마리를 더했어.

8

4

9

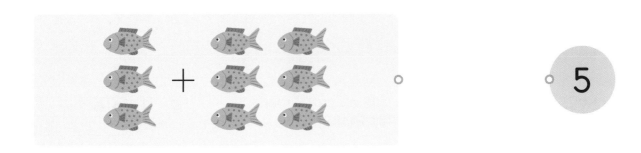

5

관계있는 수를 찾아 선으로 이으세요.

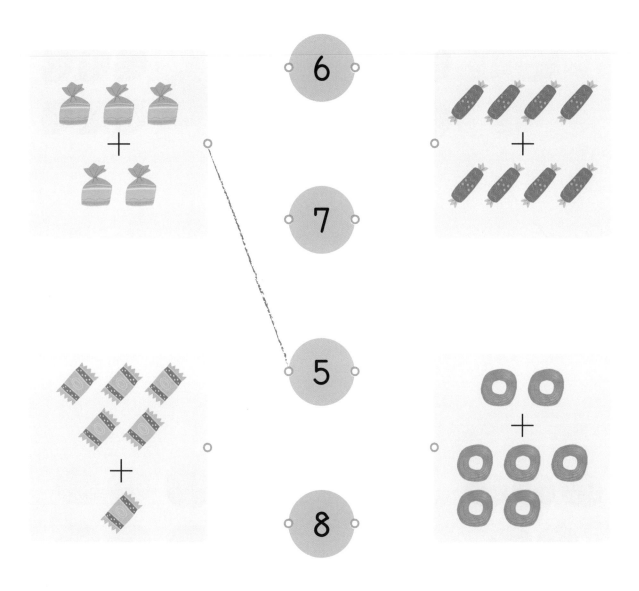

칸토 쌤 숫자와 ＋기호로 이루어진 '덧셈식'을 학습하기 전에 구체물과 ＋기호로 덧셈 상황을 이해하는 활동이에요. ＋기호는 '더하기'라고 읽고 앞에서 배운 모으기와 같은 개념임을 알려주세요.

23

 # 더하기(2)

관계있는 식을 찾아 선으로 이으세요.

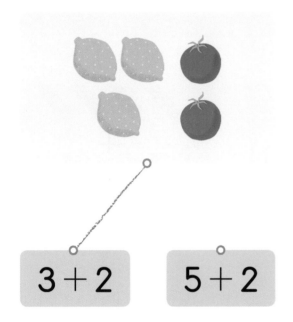

$$3+2$$ $$5+2$$ $$1+5$$ $$2+6$$

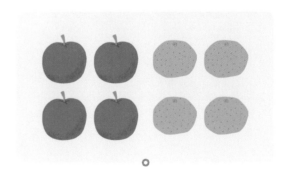

$$5+3$$ $$6+4$$ $$4+5$$ $$4+4$$

🤖 관계있는 식을 찾아 선으로 이으세요.

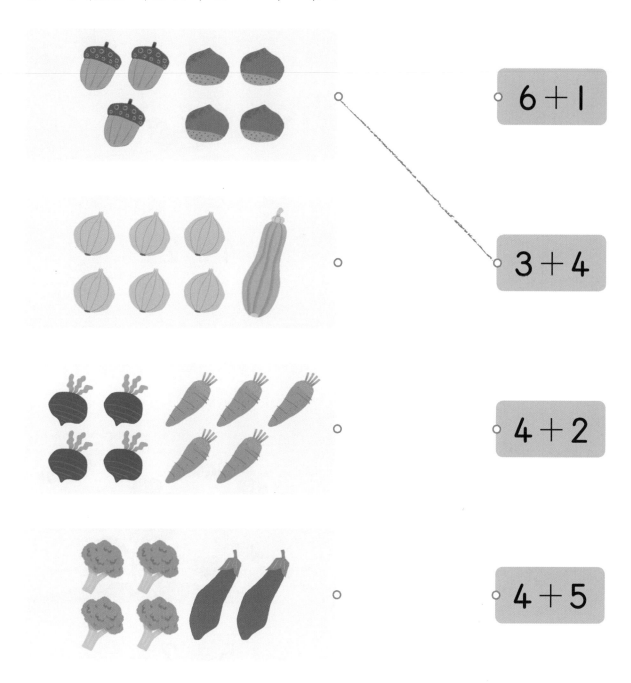

6+1

3+4

4+2

4+5

  **4**일 **덧셈(1)**

덧셈을 하세요.

$3 + 1 = \boxed{4}$

$4 + 2 = \boxed{}$

어항에 금붕어
1마리를 더 넣었어.

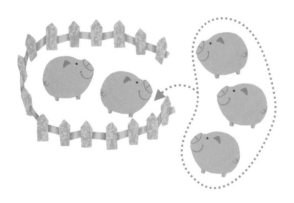

$2 + 3 = \boxed{}$

$5 + 2 = \boxed{}$

덧셈을 하세요.

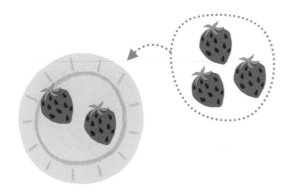

$$2 + 3 = \boxed{}$$

2 더하기 3은 5야.

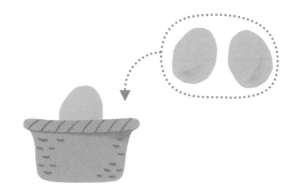

$$1 + 2 = \boxed{}$$

$$5 + 4 = \boxed{}$$

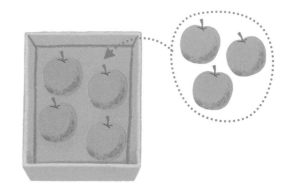

$$4 + 3 = \boxed{}$$

칸토 쌤 덧셈에는 '첨가'와 '합병' 2가지 개념이 있어요. 여기서는 첨가 개념을 배워요.
• **첨가(동적 개념):** 처음 주어진 양에 두 번째 양이 더해지는 상황
  예 사탕 2개가 있는데 친구가 사탕 1개를 줬어요. 사탕은 모두 몇 개일까요?

2+1

 **5**일 **덧셈(2)**

덧셈을 하세요.

$5 + 1 = \boxed{6}$

닭 가족은 모두
몇이야?

$2 + 3 = \boxed{}$

$3 + 4 = \boxed{}$

$1 + 3 = \boxed{}$

28_2주

🐟 덧셈을 하세요.

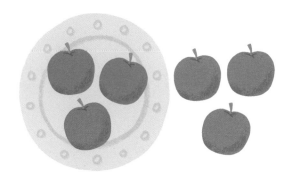

$$3 + 3 = \boxed{}$$

3 더하기 3은
6과 같아.

$$6 + 2 = \boxed{}$$

$$5 + 2 = \boxed{}$$

$$4 + 3 = \boxed{}$$

🐮 칸토 쌤 | 덧셈의 2가지 개념 중에서 '합병' 개념을 배워요.
• **합병(정적 개념):** 2개의 양을 더하는 상황
⑩ 접시에 알사탕 2개와 막대사탕 1개가 있어요. 사탕은 모두 몇 개일까요?

2 + 1

확인학습

 관계있는 덧셈식을 찾아 선으로 이으세요.

 ○

○ 2＋4

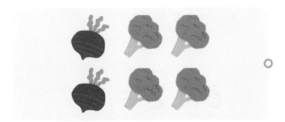 ○

○ 3＋1

 ○

○ 5＋2

 덧셈을 하세요.

2＋3＝ ☐

4＋2＝ ☐

→ 19쪽으로 돌아가 2주 차 학습 기준을 달성했는지 체크해 보세요.

3주 남은 개수

학습 기준

● 날아가고 남은 새의 수를 알 수 있나요?　　　　　　　　　　☐

● 지우고 남은 개수를 알 수 있나요?　　　　　　　　　　　　☐

● 비교하고 남은 개수를 알 수 있나요?　　　　　　　　　　　☐

● 한 묶음을 두 묶음으로 나눈 후 각 묶음의 개수를 알 수 있나요?　☐

1일 몇 마리 남았습니까

 나뭇가지에 남아 있는 새는 몇 마리일까요?

세 마리 중에 한 마리가 날아갔어?

3마리 ➡ ☐ 마리

5마리 ➡ ☐ 마리

울타리 안에 남아있는 얼룩말과 양은 각각 몇 마리일까요?

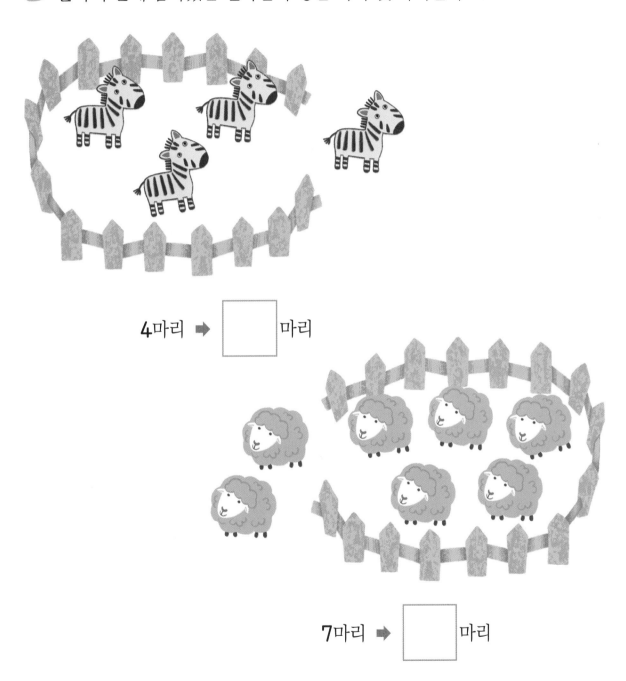

4마리 ➡ ☐ 마리

7마리 ➡ ☐ 마리

새 5마리 중에서
2마리가 날아가면
몇 마리 남아?

33

2일 지우고 남은 개수

 ✕표로 지웠습니다. 지우고 남은 개수를 쓰세요.

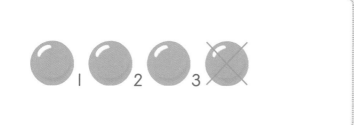

4개 ➡ | 3 | 개

구슬 l개를
잃어버렸어.

5개 ➡ | | 개

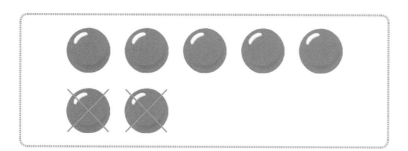

7개 ➡ | | 개

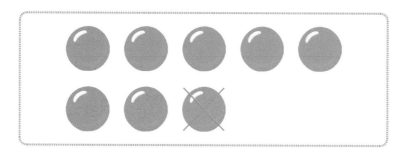

8개 ➡ | | 개

✕표를 따라 그려 보고, 지우고 남은 개수를 쓰세요.

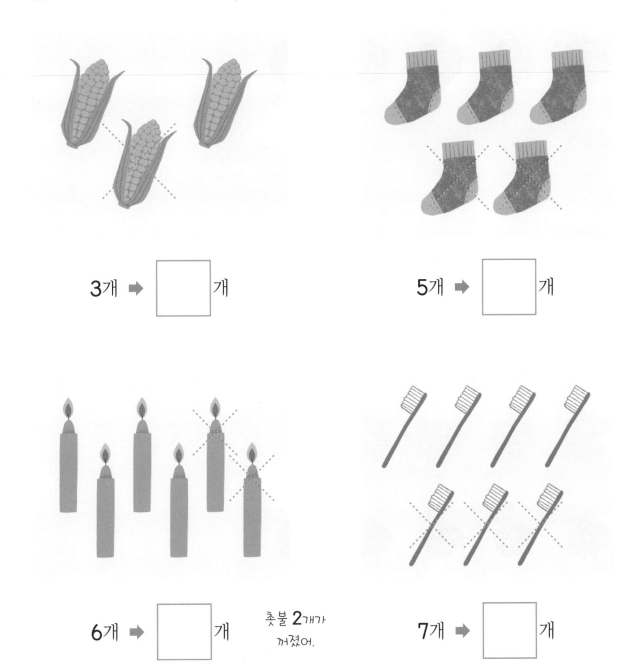

3개 ➡ ☐ 개

5개 ➡ ☐ 개

6개 ➡ ☐ 개   촛불 **2**개가 꺼졌어.

7개 ➡ ☐ 개

칸토 쌤   그림을 지우는 상황으로 뺄셈을 이해합니다. 먼저 수를 세기 쉬운 점 수판 모형으로 연습한 후, 다양한 배열로 연습해 봅니다. 뺄셈을 실생활과 연결지어 이야기하면 아이는 더 쉽게 이해한답니다.

 3개 중에서 2개를 먹었어. 몇 개 남아?

3일 비교하고 남은 개수

하나씩 짝지어 선을 그어 보고, 남은 개수를 쓰세요.

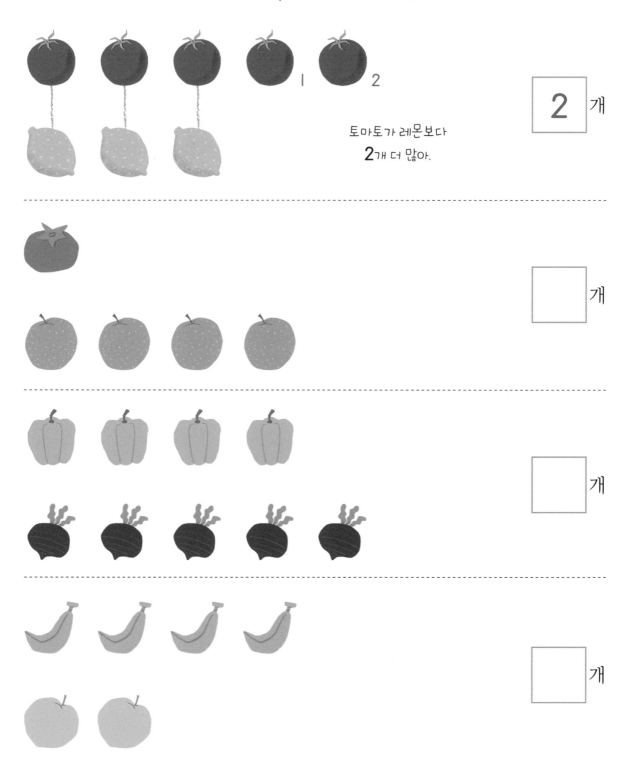

토마토가 레몬보다
2개 더 많아.

2 개

개

개

개

🐟 하나씩 짝지어 선을 그어 보고, 남은 개수를 쓰세요.

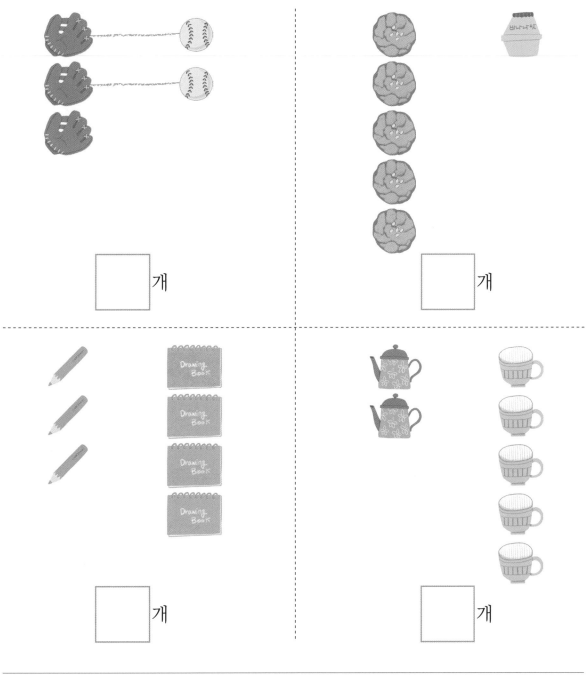

□ 개

□ 개

□ 개

□ 개

딸기를 두 접시에 나누어 담았어요. 빈 접시에 🍓 딱지를 붙이고 개수를 쓰세요.

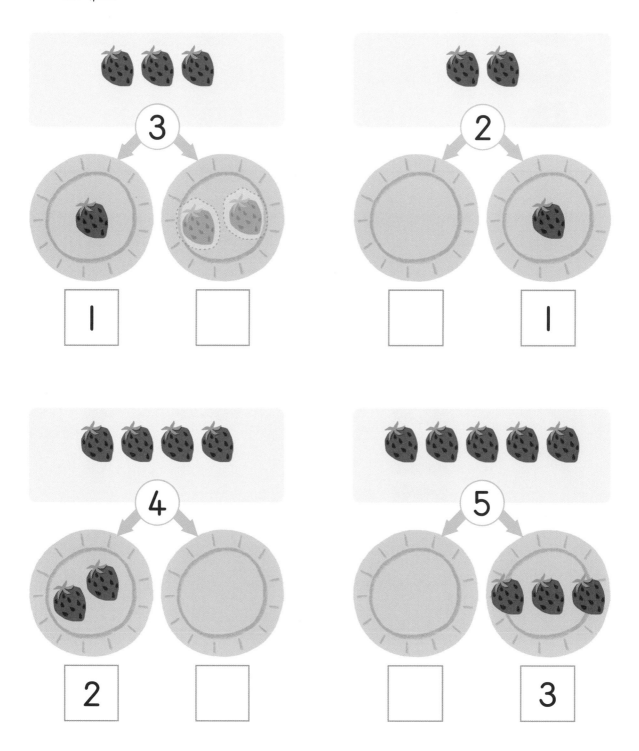

구슬이 두더지 집 2개에 나누어 들어갔어요. 빈 집에 나머지 구슬을 붙이고 개수를 쓰세요.

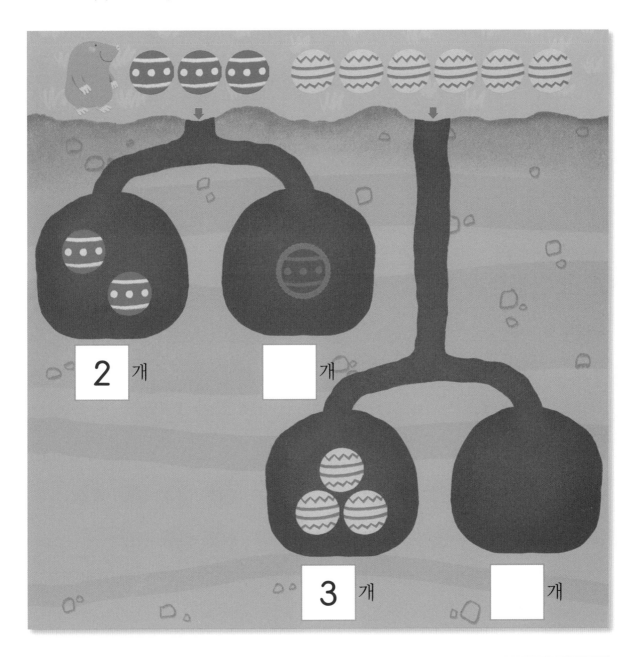

2 개   　개

3 개   　개

칸토 쌤 하나를 둘로 나누어 담는 활동을 통해 '수 가르기'를 이해합니다.
'수 가르기'는 뺄셈의 기초가 되는 개념이에요. 실제 과자를 두 접시에 나누어 담는 연습을 해 보며 뺄셈의 의미를 느껴 봅니다.

39

2묶음으로 나누기

구슬을 2묶음으로 나누었어요. 각각의 개수를 쓰세요.

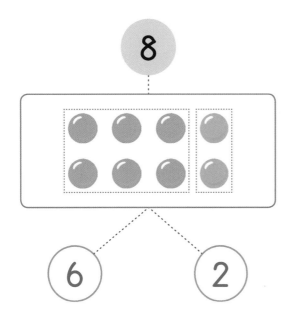

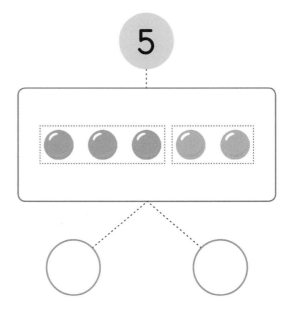

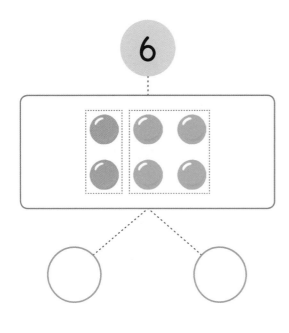

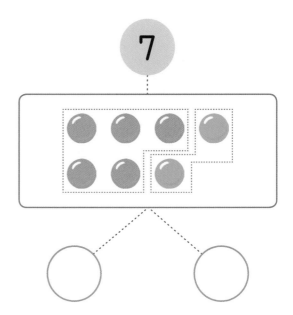

구슬을 2묶음으로 나누어 묶고, 각각의 개수를 쓰세요.

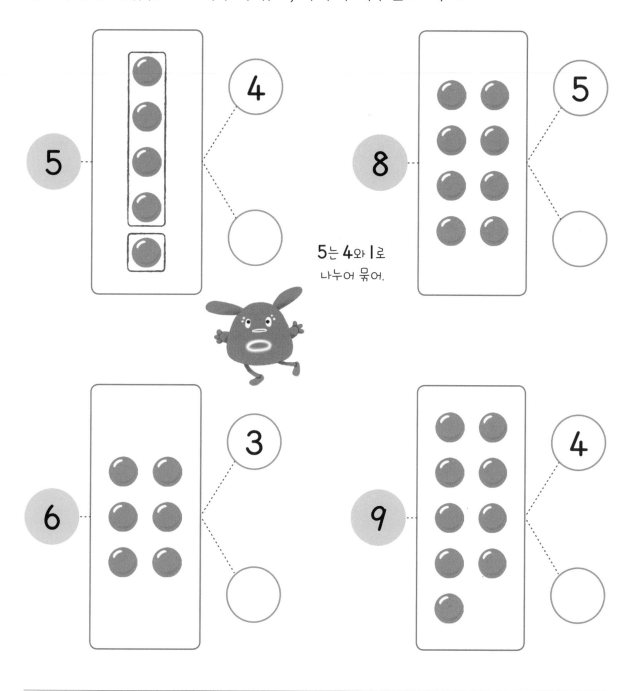

5는 4와 1로
나누어 묶어.

칸토 쌤 | 주어진 양을 두 부분으로 나누어 묶는 활동을 통해 가르기를 이해합니다.
4주 차에는 본격적으로 가르기 모형을 학습하고 이를 기초로 뺄셈을 배우게 됩니다.

확인학습

◀ ×표를 따라 그려 보고, 지우고 남은 개수를 쓰세요.

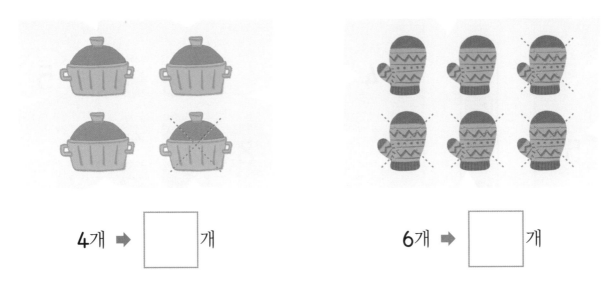

4개 ➡ ☐ 개

6개 ➡ ☐ 개

붙임 딱지 딸기를 두 접시에 나누어 담았어요. 빈 접시에 🍓 딱지를 붙이고 개수를 쓰세요.

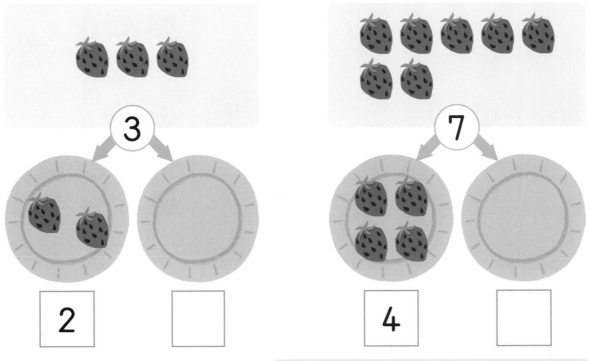

3

2   ☐

7

4   ☐

➡ 31쪽으로 돌아가 3주 차 학습 기준을 달성했는지 체크해 보세요.

4주 뺄셈

학습 기준

- 하나의 수를 두 수로 가르기 할 수 있나요? ☐
- '─' 기호의 의미를 알고 ─ 왼쪽 그림의 수에서 오른쪽 그림의 수를 뺄 수 있나요? ☐
- 그림이 나타내는 뺄셈식을 찾을 수 있나요? ☐
- 그림의 상황(제거, 비교)을 이해하여 뺄셈을 할 수 있나요? ☐

구슬 딱지를 붙여 가르기 하세요.

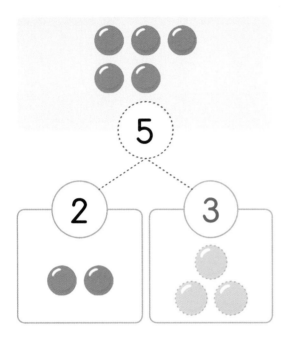

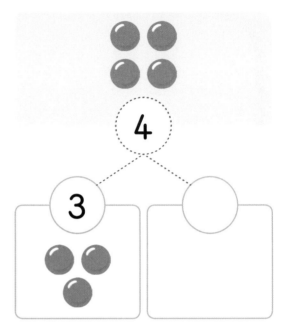

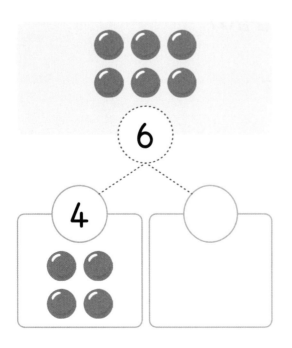

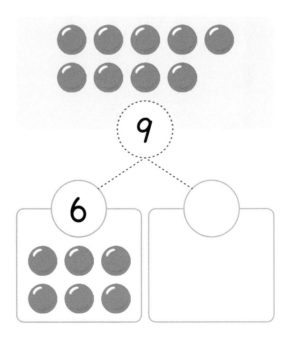

구슬을 ◯로 그려 가르기 하세요.

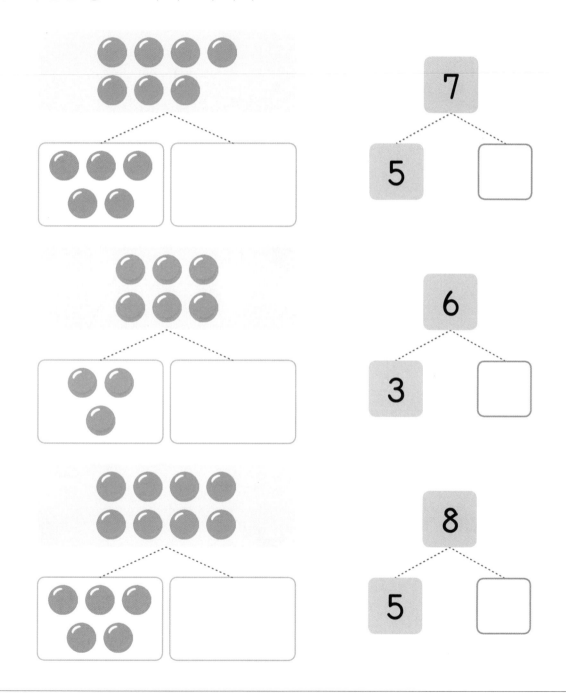

칸토 쌤 가르기 모형을 이용하여 뺄셈의 개념을 이해해 보세요. 구체물 가르기가 익숙해지면 숫자를 보고 가르기 해 보세요. 어려워할 경우 점 수판 이미지를 이용해 봅니다.

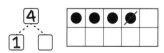

2일 빼기(1)

관계있는 수를 찾아 선으로 이으세요.

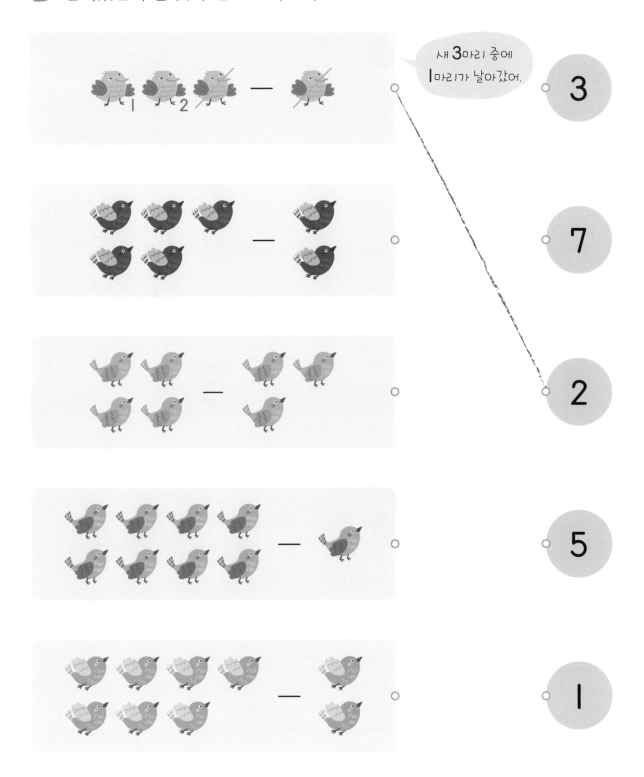

새 **3**마리 중에
1마리가 날아갔어.

3

7

2

5

1

🐡 관계있는 수를 찾아 선으로 이으세요.

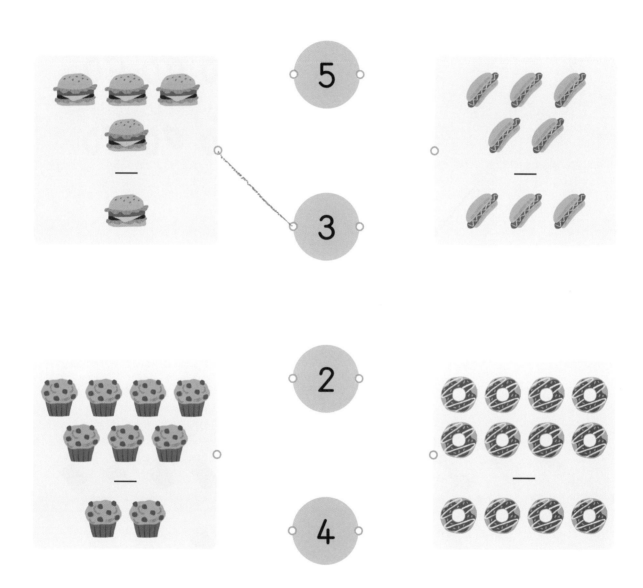

🤖 칸토 쌤　숫자와 기호로 이루어진 '뺄셈식'을 학습하기 전에 구체물과 ㅡ기호로 뺄셈 상황을 이해하는 활동입니다. ㅡ기호는 '빼기'라고 읽고 앞에서 배운 가르기와 같은 개념임을 느끼게 해주세요.

●●● ― ●

관계있는 식을 찾아 선으로 이으세요.

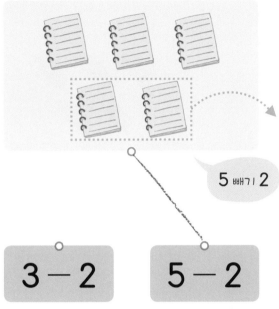

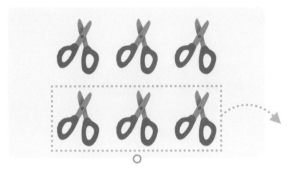

5 빼기 2

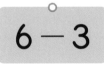

3 − 2

5 − 2

6 − 3

6 − 4

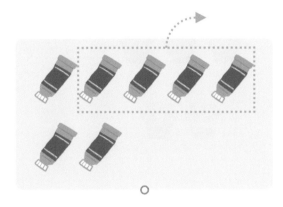

8 − 6

8 − 3

7 − 1

7 − 4

관계있는 식을 찾아 선으로 이으세요.

5 - 1

6 - 4

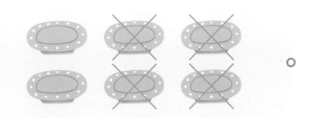

8 - 2

8 - 5

 칸토 쌤 실생활의 뺄셈 상황을 보고 숫자와 ─기호로 된 뺄셈식을 찾는 문제예요. 전체 그림의 수는 ─기호 왼쪽 수, 없애는 그림의 수는 ─기호 오른쪽 수를 나타낸다는 것을 알려주세요.

3 - 1
(전체 수) (없애는 수)

빨셈(1)

 빨셈을 하세요.

$$7 - 2 = \boxed{5}$$

아이스크림 **7**개가
있었는데 **2**개를 먹었어.

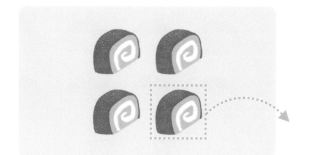

$$4 - 1 = \boxed{}$$

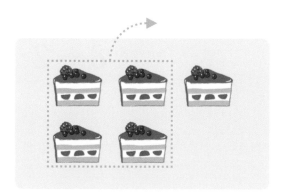

$$5 - 4 = \boxed{}$$

$$6 - 3 = \boxed{}$$

🐡 뺄셈을 하세요.

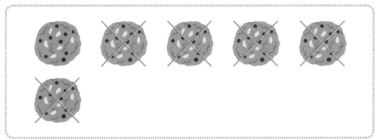

$$6 - 5 = \boxed{1}$$

6 빼기 5는 1이야.

$$9 - 3 = \boxed{}$$

$$7 - 1 = \boxed{}$$

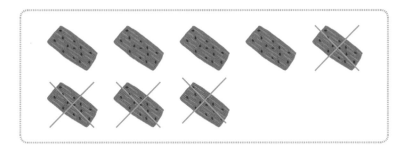

$$8 - 4 = \boxed{}$$

🤖 칸토 쌤   뺄셈에는 '제거'와 '비교' 2가지 개념이 있어요. 여기서는 제거 개념을 배워요.

• 제거(동적 개념): 처음 주어진 양에서 문제의 주어진 양을 빼는(덜어내는) 상황

예 동전 3개가 있었는데 1개를 잃어버렸어요. 남은 동전은 몇 개일까요?

●●◌
●●◌

또는 ●●●
●●❌

$$3 - 1 = 2$$

하나씩 짝지어 선을 그어 보고, 뺄셈을 하세요.

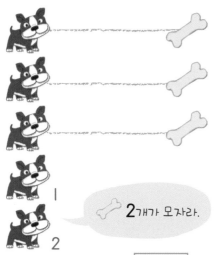

$$5 - 3 = \boxed{2}$$

$$4 - 1 = \boxed{}$$

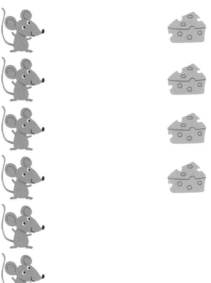

$$6 - 4 = \boxed{}$$

$$5 - 2 = \boxed{}$$

🤖 하나씩 짝지어 선을 그어 보고, 뺄셈을 하세요.

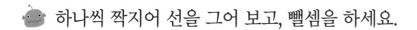

7 빼기 4는 3과 같아.

$$7 - 4 = \boxed{}$$

$$8 - 3 = \boxed{}$$

$$9 - 5 = \boxed{}$$

 칸토 쌤 뺄셈의 2가지 개념 중에서 '비교' 개념을 배워요.
• 비교(정적 개념): 2개의 양을 비교하는 상황
  예 검은 돌이 3개, 흰 돌이 2개 있어요. 검은 돌은 흰 돌보다 몇 개 더 많나요?

$$3 - 2 = 1$$

확인학습

▶ 알맞은 식을 찾아 선으로 이으세요.

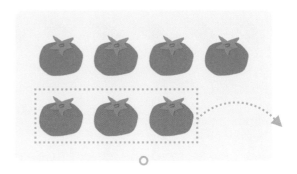

| 5 − 4 | 4 − 2 | 7 − 3 | 7 − 4 |

▶ 뺄셈을 하세요.

6 − 2 = ☐

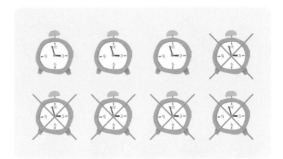

8 − 5 = ☐

→ 43쪽으로 돌아가 4주 차 학습 기준을 달성했는지 체크해 보세요.

마무리 평가

마무리 평가에서는 1, 2, 3, 4주 차의 유형이 순서대로 나옵니다.
문제가 틀리면 몇 주 차인지 확인하여 반드시 다시 한번 복습합니다.

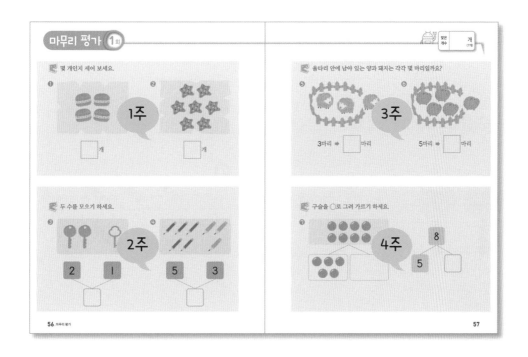

몇 개인지 세어 보세요.

①

☐ 개

② ☐ 개

두 수를 모으기 하세요.

③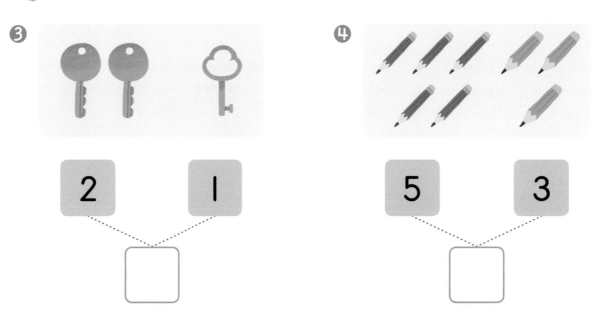

2   1

☐

④ 5   3

☐

울타리 안에 남아 있는 양과 돼지는 각각 몇 마리일까요?

❺

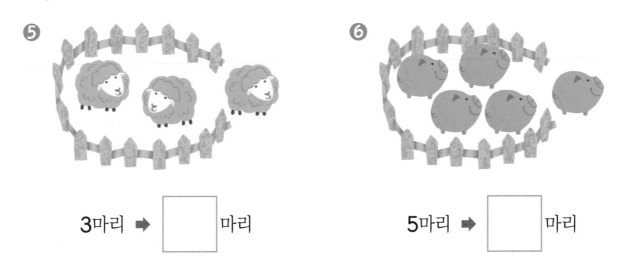

3마리 ➡ ☐ 마리

❻

5마리 ➡ ☐ 마리

구슬을 ◯로 그려 가르기 하세요.

❼

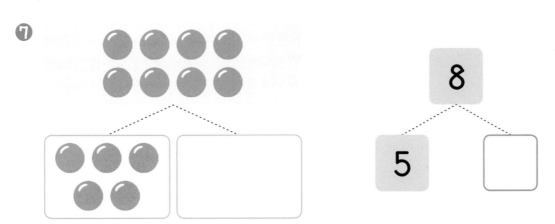

8

5

모두 몇 마리인지 세어 보세요.

❶

모두 ☐ 마리

❷

모두 ☐ 마리

관계있는 수를 찾아 선으로 이으세요.

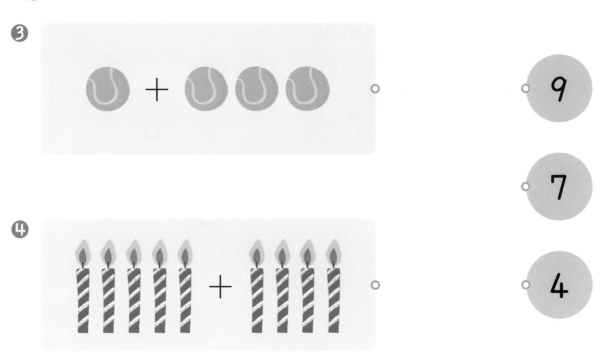

❸

9

7

❹

4

✕표로 지웠습니다. 지우고 남은 개수를 쓰세요.

❺

4개 ➡ ☐ 개

❻

5개 ➡ ☐ 개

관계있는 수를 찾아 선으로 이으세요.

❼

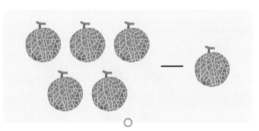

❽

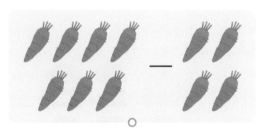

 2 　　 3 　　 4 　　 5

개수를 쓰세요. 모두 몇 개일까요?

❶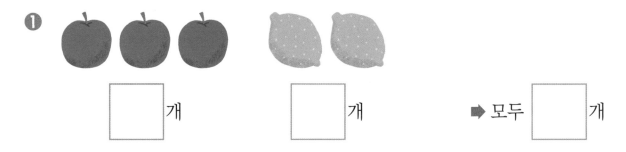

[ ]개   [ ]개   ➡ 모두 [ ]개

관계있는 식을 찾아 선으로 이으세요.

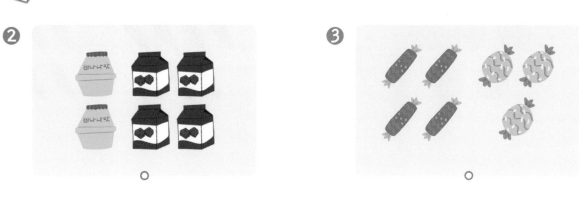

❷   ❸

$2+3$ $2+4$ $4+4$ $4+3$

하나씩 짝지어 선을 그어 보고, 남은 개수를 쓰세요.

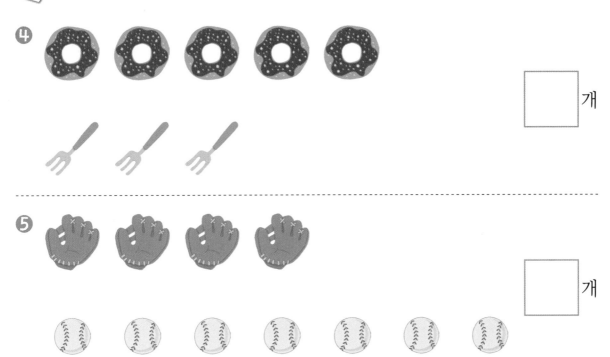

❹
☐ 개

❺
☐ 개

관계있는 식을 찾아 선으로 이으세요.

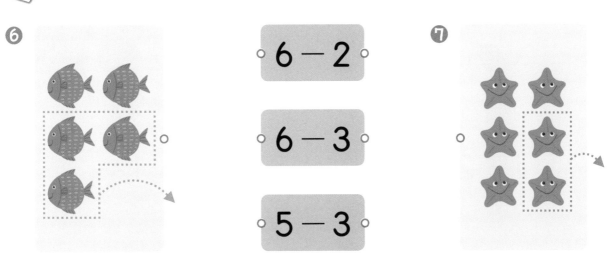

❻

6 − 2

6 − 3

5 − 3

❼

61

모두 몇 칸일까요?

❶

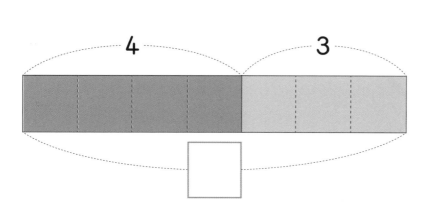

❷

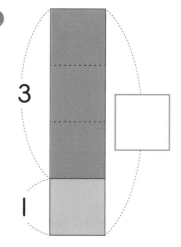

❸ 덧셈을 하세요.

$1 + 2 = \boxed{}$

❹

$4 + 1 = \boxed{}$

과자를 두 접시에 나누어 담았어요. 빈 접시에 ◯를 그리고 개수를 쓰세요.

❺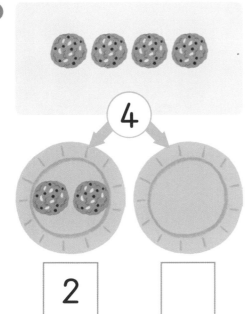

2

❻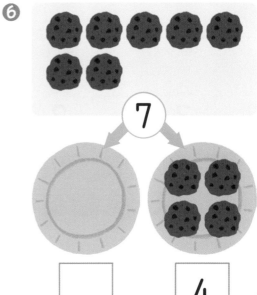

4

빨셈을 하세요.

❼

$5 - 2 = \boxed{}$

❽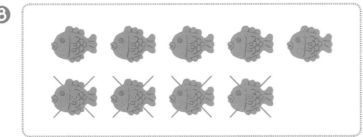

$9 - 4 = \boxed{}$

과일을 모으기 하세요.

❶
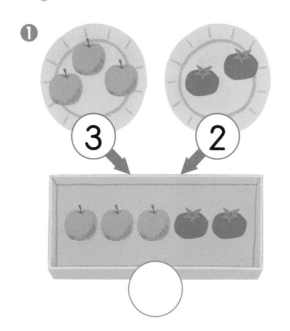

❷
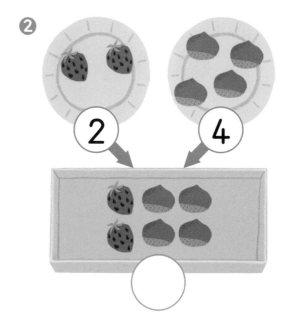

 덧셈을 하세요.

❸
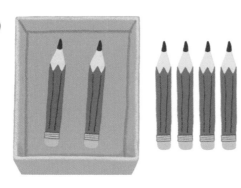

$2 + 4 = \boxed{}$

❹

$5 + 3 = \boxed{}$

구슬을 두 묶음으로 나누어 묶고, 각각의 개수를 쓰세요.

⑤
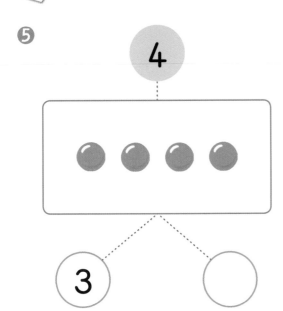

⑥
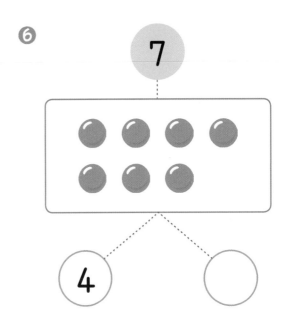

하나씩 짝지어 선을 그어 보고, 뺄셈을 하세요.

⑦
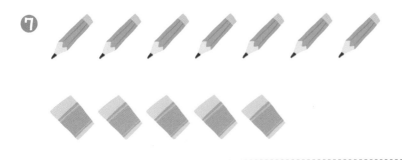

$7 - 5 = \boxed{}$

⑧

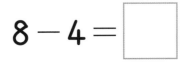

$8 - 4 = \boxed{}$

65

MEMO

MEMO

MEMO

유아 연산의 기준

칸토의 연산

정답

덧셈과 뺄셈의 기초

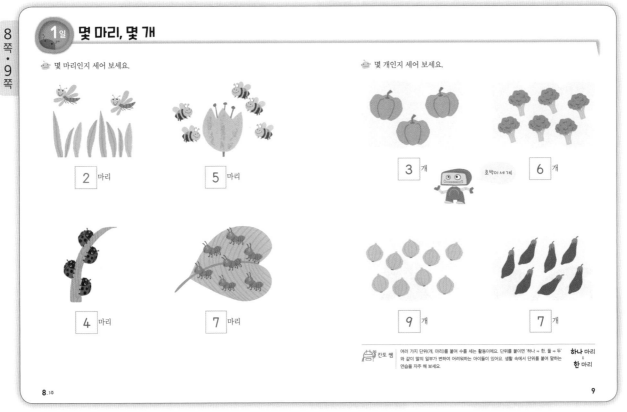

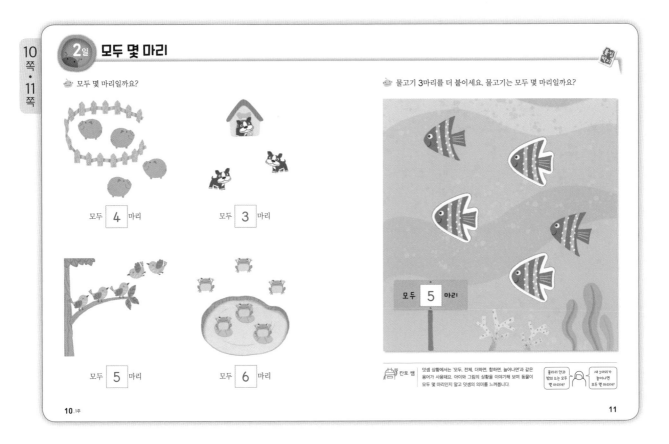

정답

1주: 모아 세기

1일 몇 마리, 몇 개

8쪽 · 9쪽

몇 마리인지 세어 보세요.

2 마리

5 마리

4 마리

7 마리

몇 개인지 세어 보세요.

3 개

호박이 세 개

6 개

9 개

7 개

칸토 쌤 여러 가지 단위(개, 마리)를 붙여 수를 세는 활동이에요. 단위를 붙이면 '하나 ⇒ 한, 둘 ⇒ 두'와 같이 말의 일부가 변하여 어려워하는 아이들이 있어요. 생활 속에서 단위를 붙여 말하는 연습을 자주 해 보세요.

하나 마리
↓
한 마리

8_1주

9

2일 모두 몇 마리

10쪽 · 11쪽

모두 몇 마리일까요?

모두 4 마리

모두 3 마리

모두 5 마리

모두 6 마리

물고기 3마리를 더 붙이세요. 물고기는 모두 몇 마리일까요?

모두 5 마리

칸토 쌤 덧셈 상황에서는 '모두, 전체, 더하면, 합하면, 늘어나면'과 같은 용어가 사용돼요. 아이와 그림의 상황을 이야기해 보며 동물이 모두 몇 마리인지 알고 덧셈의 의미를 느껴봅니다.

울타리 안과 밖의 눈는 모두 몇 마리야?

세 2마리가 늘어나면 모두 몇 마리야?

10_1주

11

2

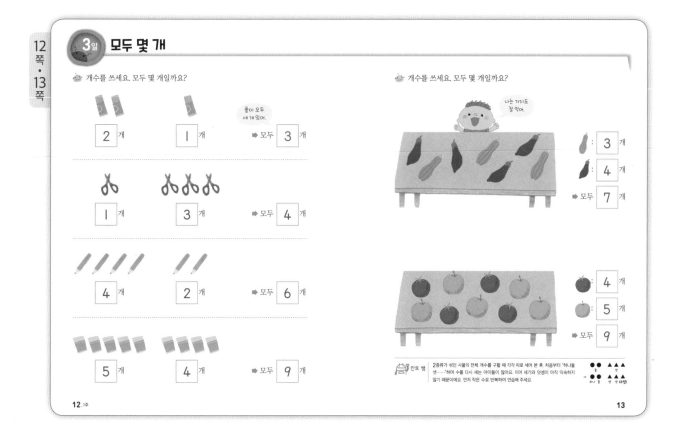

3일 모두 몇 개

개수를 쓰세요. 모두 몇 개일까요?

2 개   1 개   풀이 모두 세 개 있어. → 모두 3 개

1 개   3 개   → 모두 4 개

4 개   2 개   → 모두 6 개

5 개   4 개   → 모두 9 개

개수를 쓰세요. 모두 몇 개일까요?

나는 가지도 잘 먹어.

: 3 개
: 4 개
→ 모두 7 개

: 4 개
: 5 개
→ 모두 9 개

칸토 쌤 2종류가 섞인 사물의 전체 개수를 구할 때 각각 따로 세어 본 후, 처음부터 "하나둘 셋……"하며 수를 다시 세는 아이들이 많아요. 이어 세기와 덧셈이 아직 익숙하지 않기 때문이에요. 먼저 작은 수로 반복하여 연습해 주세요.

12 _ 1주

13

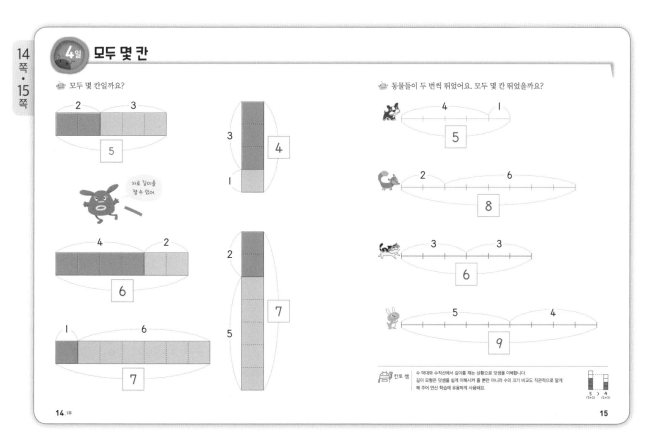

4일 모두 몇 칸

모두 몇 칸일까요?

2   3
5

자로 길이를 잴 수 있어.

3
1   4

4   2
6

2
7
5

1   6
7

동물들이 두 번씩 뛰었어요. 모두 몇 칸 뛰었을까요?

4   1
5

2   6
8

3   3
6

5   4
9

칸토 쌤 수 막대와 수직선에서 길이를 재는 상황으로 덧셈을 이해합니다. 길이 모형은 덧셈을 쉽게 이해시켜 줄 뿐만 아니라 수의 크기 비교도 직관적으로 알게 해 주어 연산 학습에 유용하게 사용돼요.

14 _ 1주

15

3

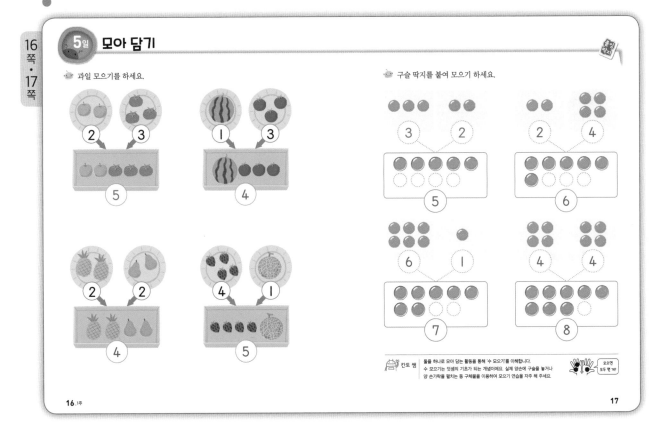

16쪽·17쪽

5일 모아 담기

과일 모으기를 하세요.

2 3 → 5

1 3 → 4

2 2 → 4

4 1 → 5

구슬 딱지를 붙여 모으기 하세요.

3 2 → 5

2 4 → 6

6 1 → 7

4 4 → 8

칸토 쌤 물을 하나로 모아 담는 활동을 통해 '수 모으기'를 이해합니다.
수 모으기는 덧셈의 기초가 되는 개념이에요. 실제 양손에 구슬을 놓거나
양 손가락을 펼치는 등 구체물을 이용하여 모으기 연습을 자주 해 주세요.

16_1주

17

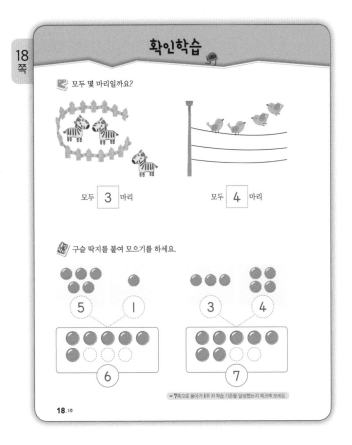

18쪽

확인학습

모두 몇 마리일까요?

모두 3 마리   모두 4 마리

구슬 딱지를 붙여 모으기를 하세요.

5 1 → 6

3 4 → 7

➡ 7쪽으로 돌아가 1주 차 학습 기준을 달성했는지 체크해 보세요.

18_1주

1주

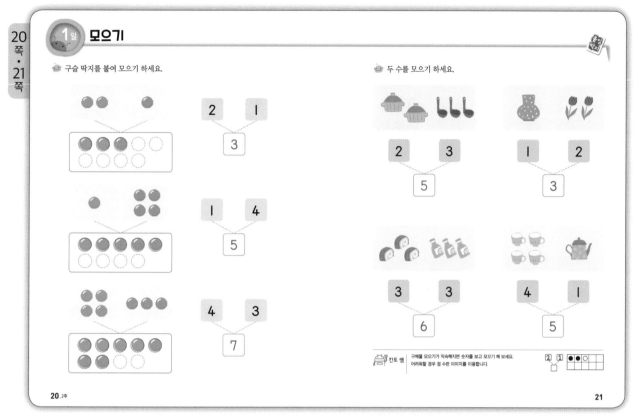

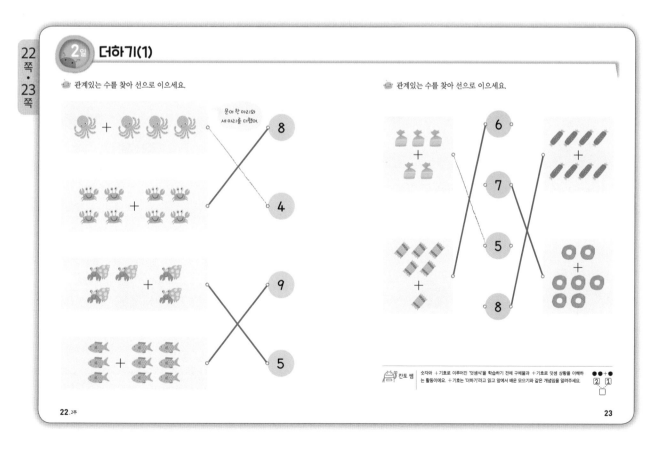

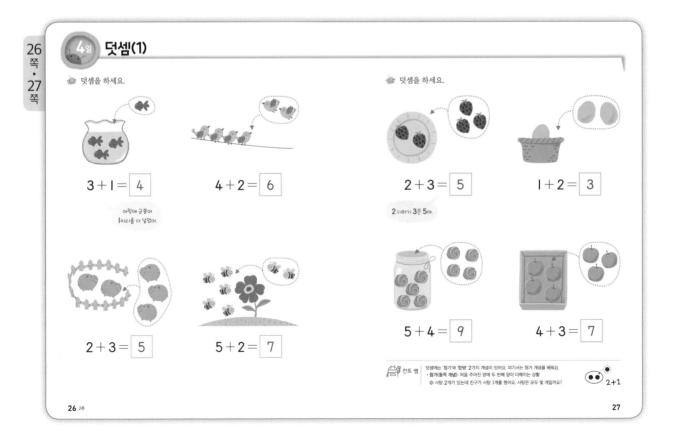

3일 더하기(2)

관계있는 식을 찾아 선으로 이으세요.

3+2   5+2   1+5   2+6

5+3   6+4   4+5   4+4

관계있는 식을 찾아 선으로 이으세요.

6+1

3+4

4+2

4+5

칸토 쌤 실생활의 덧셈 상황을 보고 숫자와 +기호로 된 덧셈식을 찾는 문제예요. 서로 다른
두 종류의 그림 중에서 왼쪽 그림은 +기호 왼쪽 수를, 오른쪽 그림은 +기호 오른쪽
수를 나타낸다는 것을 알게 해 주세요.

●●▲▲▲
2 + 3
(왼쪽) (오른쪽)

24 .2주   25

4일 덧셈(1)

덧셈을 하세요.

$3+1=\boxed{4}$ $4+2=\boxed{6}$

어항에 금붕어
1마리를 더 넣었어.

$2+3=\boxed{5}$ $5+2=\boxed{7}$

덧셈을 하세요.

$2+3=\boxed{5}$ $1+2=\boxed{3}$

2 더하기 3은 5야.

$5+4=\boxed{9}$ $4+3=\boxed{7}$

칸토 쌤 덧셈에는 '첨가'와 '합병' 2가지 개념이 있어요. 여기서는 첨가 개념을 배워요.
· 첨가(동적 개념): 처음 주어진 양에 두 번째 양이 더해지는 상황
사탕 2개가 있는데 친구가 사탕 1개를 주어요. 사탕은 모두 몇 개일까요?

●● ●
2+1

26 .2주   27

6

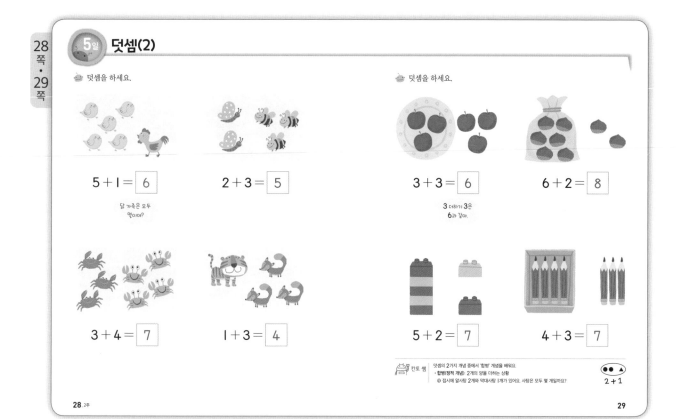

5일 덧셈(2)

🍲 덧셈을 하세요.

$5+1=\boxed{6}$

닭 가족은 모두
몇이야?

$2+3=\boxed{5}$

$3+4=\boxed{7}$

$1+3=\boxed{4}$

🍲 덧셈을 하세요.

$3+3=\boxed{6}$

3 더하기 3은
6과 같아.

$6+2=\boxed{8}$

$5+2=\boxed{7}$

$4+3=\boxed{7}$

칸토 쌤 덧셈의 2가지 개념 중에서 '합병' 개념을 배워요.
• 합병(정적 개념) 2개의 양을 더하는 상황
🍲 접시에 알사탕 2개와 막대사탕 1개가 있어요. 사탕은 모두 몇 개일까요?

●● ▲
2+1

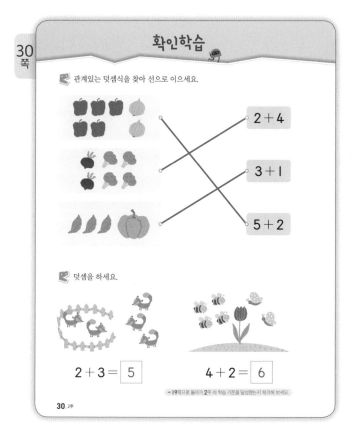

확인학습

📖 관계있는 덧셈식을 찾아 선으로 이으세요.

2+4

3+1

5+2

📖 덧셈을 하세요.

$2+3=\boxed{5}$

$4+2=\boxed{6}$

➡ 19쪽으로 돌아가 2주 차 학습 기준을 달성했는지 체크해 보세요.

2주

3주: 남은 개수

1일 몇 마리 남았습니까

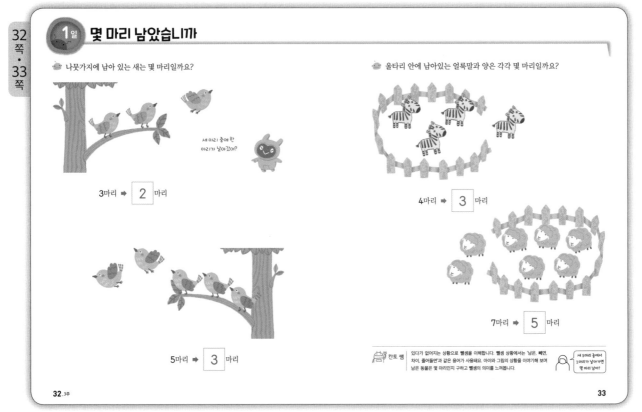

2일 지우고 남은 개수

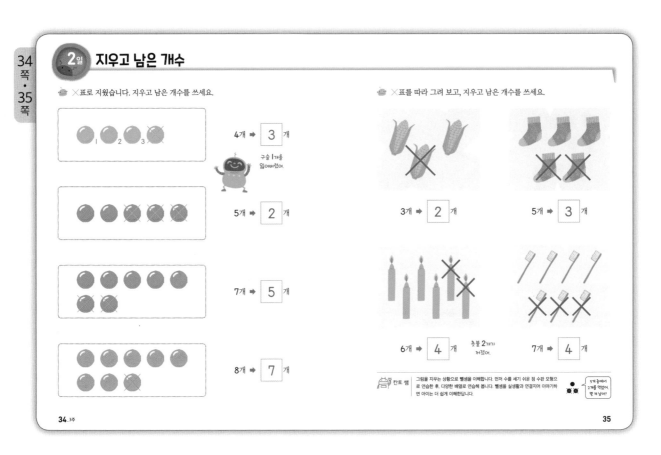

3일 비교하고 남은 개수

하나씩 짝지어 선을 그어 보고, 남은 개수를 쓰세요.

토마토가 레몬보다
2개 더 많아.

| 2 | 개

| 3 | 개

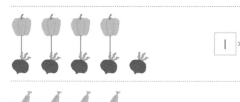

| 1 | 개

| 2 | 개

하나씩 짝지어 선을 그어 보고, 남은 개수를 쓰세요.

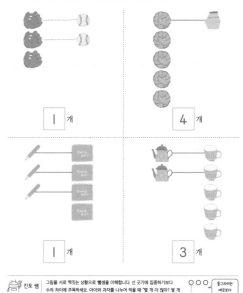

| 1 | 개 | 4 | 개

| 1 | 개 | 3 | 개

칸토 쌤 그림을 서로 짝짓는 상황으로 뺄셈을 이해합니다. 선 긋기에 집중하기보다
수의 차이에 주목하세요. 아이와 과자를 나누어 먹을 때 "몇 개 더 많아? 몇 개
더 적어?" 라고 몇 번 질문해 보면 아이는 금방 이해할 수 있을 거예요.

○○○
△△
동그라미는
세모보다
몇 개 더 많아?

4일 나누어 담기

딸기를 두 접시에 나누어 담았어요. 빈 접시에 딸기를 붙이고 개수를
쓰세요.

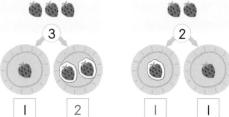

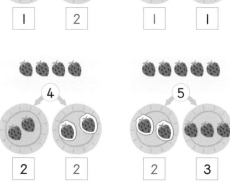

구슬이 두더지 집 2개에 나누어 들어갔어요. 빈 집에 나머지 구슬을 붙이
고 개수를 쓰세요.

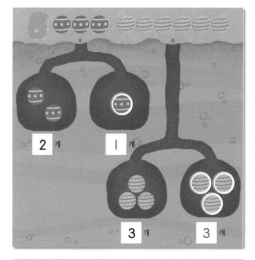

| 2 | 개 | 1 | 개

| 3 | 개 | 3 | 개

칸토 쌤 하나를 둘로 나누어 담는 활동을 통해 '수 가르기'를 이해합니다.
'수 가르기'는 뺄셈의 기초가 되는 개념이에요. 실제 과자를 두 접시에 나누어 담는 연습을 해 보며 뺄셈의 의미
를 느껴 봅니다.

5일 2묶음으로 나누기

40쪽 · 41쪽

🐾 구슬을 2묶음으로 나누었어요. 각각의 개수를 쓰세요.

8
6   2

5
3   2

6
2   4

7
5   2

🐾 구슬을 2묶음으로 나누어 묶고, 각각의 개수를 쓰세요.

5
4
1

5는 4와 1로
나누어 묶어.

8
5
3

6
3
3

9
4
5

🐻 칸토 쌤 주어진 양을 두 부분으로 나누어 묶는 활동을 통해 가르기를 이해합니다.
4주 차에는 본격적으로 가르기 모형을 학습하고 이를 기초로 뺄셈을 배우게 됩니다.

확인학습

42쪽

📖 ✕표를 따라 그려 보고, 지우고 남은 개수를 쓰세요.

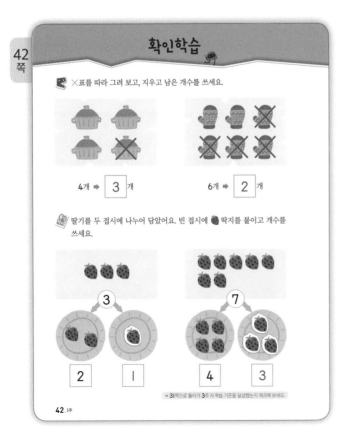

4개 ➡ 3 개

6개 ➡ 2 개

📖 딸기를 두 접시에 나누어 담았어요. 빈 접시에 🍓딱지를 붙이고 개수를 쓰세요.

3
2   1

7
4   3

⇒ 31쪽으로 돌아가 3주 차 학습 기준을 달성했는지 체크해 보세요.

3주

4주 : 뺄셈

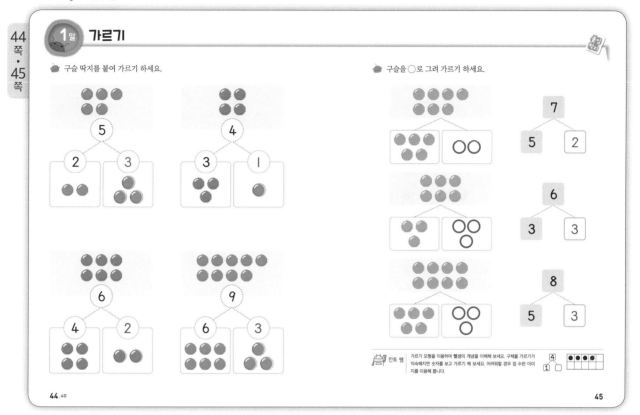

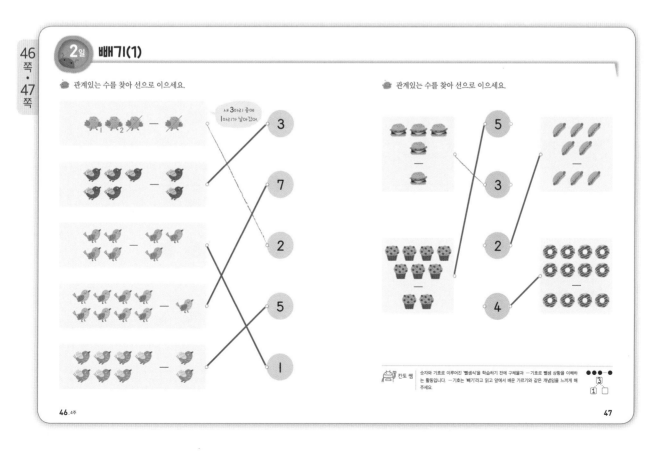

3일 빼기(2)

🐛 관계있는 식을 찾아 선으로 이으세요.

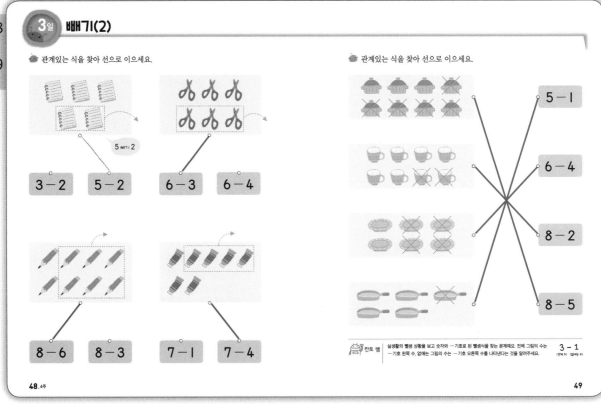

🐛 관계있는 식을 찾아 선으로 이으세요.

5 빼기 2

3 - 2   5 - 2   6 - 3   6 - 4

8 - 6   8 - 3   7 - 1   7 - 4

5 - 1

6 - 4

8 - 2

8 - 5

칸토 쌤 실생활의 뺄셈 상황을 보고 숫자와 ─기호로 된 뺄셈식을 찾는 문제예요. 전체 그림의 수는
─기호 왼쪽 수, 없애는 그림의 수는 ─기호 오른쪽 수를 나타낸다는 것을 알려주세요.

3 - 1
(전체 수) (없애는 수)

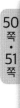

4일 뺄셈(1)

🐛 뺄셈을 하세요.

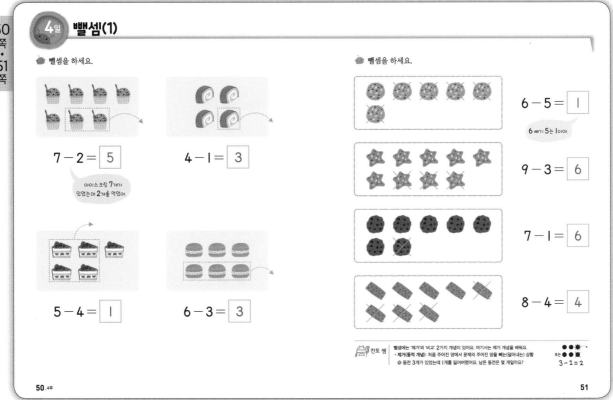

🐛 뺄셈을 하세요.

$7 - 2 = \boxed{5}$

아이스크림 7개가
있는데 2개를 먹었어.

$4 - 1 = \boxed{3}$

$5 - 4 = \boxed{1}$

$6 - 3 = \boxed{3}$

$6 - 5 = \boxed{1}$

6 빼기 5는 1이에요.

$9 - 3 = \boxed{6}$

$7 - 1 = \boxed{6}$

$8 - 4 = \boxed{4}$

칸토 쌤 뺄셈에는 '제거'와 '비교' 2가지 개념이 있어요. 여기서는 제거 개념을 배워요.
· 제거(동적 개념): 처음 주어진 양에서 문제의 주어진 양을 빼는(일어나는) 상황
❀ 동전 3개가 있었는데 1개를 잃어버렸어요. 남은 동전은 몇 개일까요?

● ● ○
또는 ● ● ✕

3 - 1 = 2

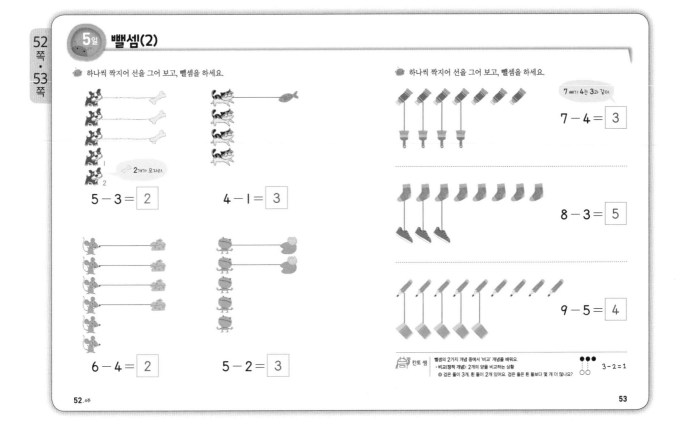

5일 뺄셈(2)

하나씩 짝지어 선을 그어 보고, 뺄셈을 하세요.

2개가 모자라.

$5 - 3 = 2$

$4 - 1 = 3$

$6 - 4 = 2$

$5 - 2 = 3$

52 .4주

하나씩 짝지어 선을 그어 보고, 뺄셈을 하세요.

7 빼기 4는 3과 같아.

$7 - 4 = 3$

$8 - 3 = 5$

$9 - 5 = 4$

칸토 쌤 뺄셈의 2가지 개념 중에서 '비교' 개념을 배워요.
• 비교(정적 개념): 2개의 양을 비교하는 상황
◎ 검은 돌이 3개, 흰 돌이 2개 있어요. 검은 돌은 흰 돌보다 몇 개 더 많나요?

$3 - 2 = 1$

53

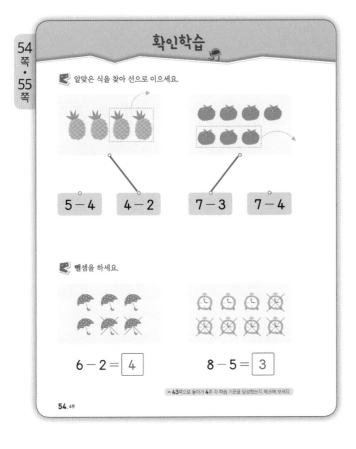

확인학습

알맞은 식을 찾아 선으로 이으세요.

| $5 - 4$ | $4 - 2$ | $7 - 3$ | $7 - 4$ |

뺄셈을 하세요.

$6 - 2 = 4$

$8 - 5 = 3$

➡ 43쪽으로 돌아가 4주 차 학습 기준을 달성했는지 체크해 보세요.

54 .4주

4주

13

마무리 평가

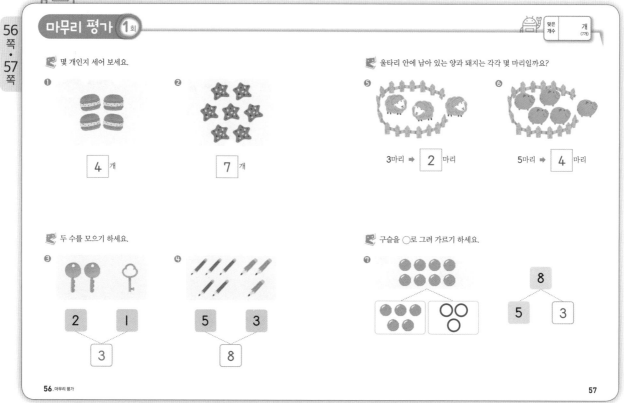

맞은 개수 □ 개 (7개)

📖 몇 개인지 세어 보세요.

① 4 개

② 7 개

📖 울타리 안에 남아 있는 양과 돼지는 각각 몇 마리일까요?

⑤ 3마리 ➡ 2 마리

⑥ 5마리 ➡ 4 마리

📖 두 수를 모으기 하세요.

③ 2 1 → 3

④ 5 3 → 8

📖 구슬을 ○로 그려 가르기 하세요.

⑦ 8 → 5 3

56 _마무리 평가   57

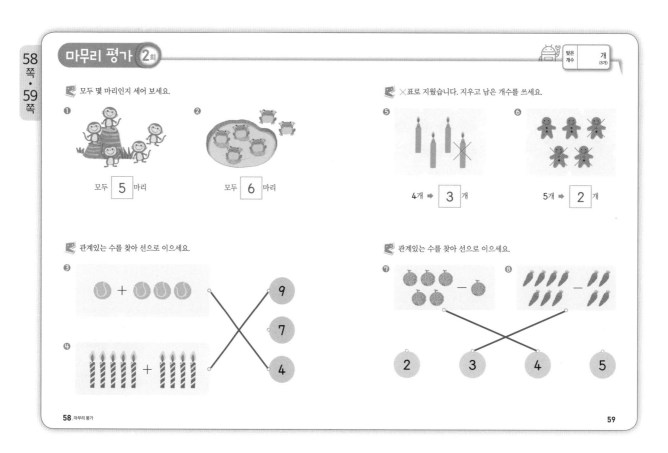

맞은 개수 □ 개 (8개)

📖 모두 몇 마리인지 세어 보세요.

① 모두 5 마리

② 모두 6 마리

📖 ✕표로 지웠습니다. 지우고 남은 개수를 쓰세요.

⑤ 4개 ➡ 3 개

⑥ 5개 ➡ 2 개

📖 관계있는 수를 찾아 선으로 이으세요.

③ 🎾 + 🎾🎾🎾 → 9 / 7 / 4

④ 촛불 + 촛불 → 9 / 7 / 4

📖 관계있는 수를 찾아 선으로 이으세요.

⑦ 사과 ─ 사과 → 2 / 3 / 4 / 5

⑧ 당근 ─ 당근 → 2 / 3 / 4 / 5

58 _마무리 평가   59

14

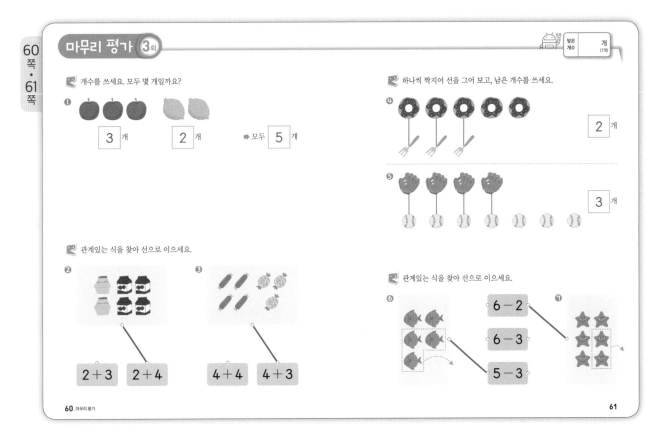

마무리 평가 3회

맞은
개수 　개
(7개)

📖 개수를 쓰세요. 모두 몇 개일까요?

❶ 3 개　　2 개　　➡ 모두 5 개

📖 관계있는 식을 찾아 선으로 이으세요.

❷ 2+3　2+4

❸ 4+4　4+3

📖 하나씩 짝지어 선을 그어 보고, 남은 개수를 쓰세요.

❹ 2 개

❺ 3 개

📖 관계있는 식을 찾아 선으로 이으세요.

❻ 6-2　6-3　5-3　❼

60 . 마무리 평가

61

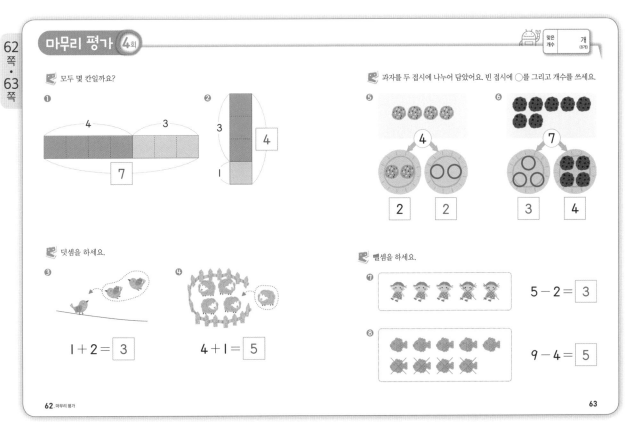

마무리 평가 4회

맞은
개수 　개
(8개)

📖 모두 몇 칸일까요?

❶ 4　3　7

❷ 3　4　1

📖 과자를 두 접시에 나누어 담았어요. 빈 접시에 ◯를 그리고 개수를 쓰세요.

❺ 4　2　2

❻ 7　3　4

📖 덧셈을 하세요.

❸ 1+2= 3

❹ 4+1= 5

📖 뺄셈을 하세요.

❼ 5-2= 3

❽ 9-4= 5

62 . 마무리 평가

63

15

정답

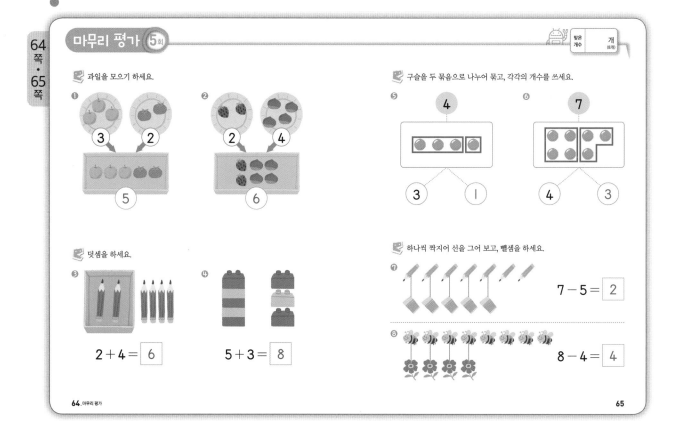

마무리 평가 5회

맞은 개수 □개 (8개)

📖 과일을 모으기 하세요.

① 3 2 → 5

② 2 4 → 6

📖 구슬을 두 묶음으로 나누어 묶고, 각각의 개수를 쓰세요.

⑤ 4 → 3 1

⑥ 7 → 4 3

📖 덧셈을 하세요.

③ 2 + 4 = 6

④ 5 + 3 = 8

📖 하나씩 짝지어 선을 그어 보고, 뺄셈을 하세요.

⑦ 7 - 5 = 2

⑧ 8 - 4 = 4

6쪽

11쪽

39쪽

17~18쪽, 20쪽, 44쪽

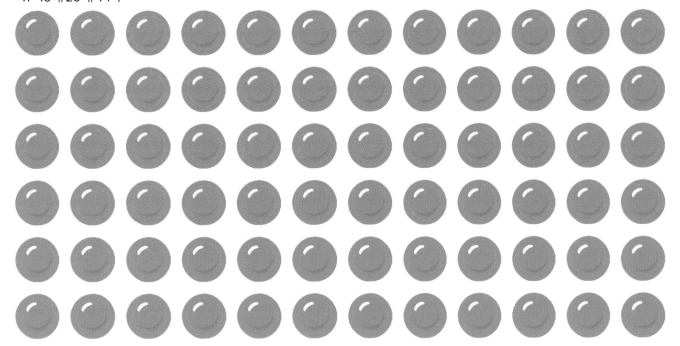

38쪽, 42쪽